Olivier Dunrea

Lola

Kaléidoscope
lutin poche de l'école des loisirs
11, rue de Sèvres, Paris 6ᵉ

Pour Ed

Texte traduit de l'anglais par Isabel Finkenstaedt
I S B N : 978 - 2 - 211 - 08167 - 2
© 2005, l'école des loisirs, Paris, pour l'édition dans la collection *lutin poche*
© 2003, Kaléidoscope, Paris, pour la traduction française
© 2002, Olivier Dunrea
Titre de l'ouvrage original : « Gossie » (Houghton Mifflin Company, Boston)
Loi n° 49.956 du 16 juillet 1949 sur les publications
destinées à la jeunesse : mars 2004
Dépôt légal : janvier 2009
Imprimé en France par Pollina à Luçon - n° L49139

Voici Lola.
Lola est une oie.

Une petite oie jaune qui
porte des bottes rouge vif.

Tous les jours.

Elle les porte quand elle mange.

Elle les porte quand elle dort.

Elle les porte quand elle se déplace.

Elle les porte quand elle se cache.

Par-dessus tout, Lola aime porter
ses bottes rouge vif pour marcher.

Tous les jours.

Pour reculer.

Pour avancer.

Pour grimper.

Pour descendre.

Pour aller sous la pluie.

Pour aller dans la neige.

Lola adore porter
ses bottes rouge vif !

Tous les jours.

Un matin, Lola ne trouve plus
ses bottes rouge vif.

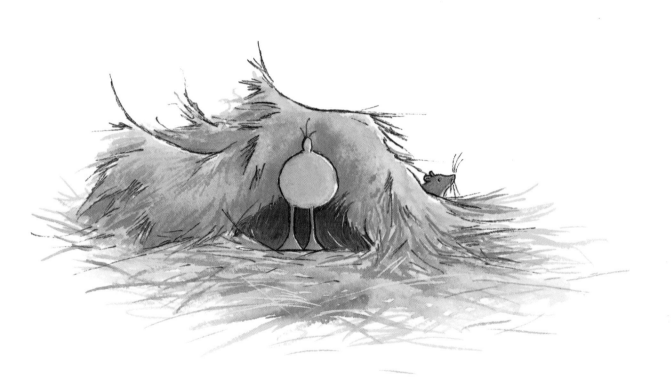

Elle les cherche partout.
Sous le lit.

Derrière le mur.

Dans la grange.

Sous les poules.

Lola cherche ses bottes
rouge vif partout, partout.

Elles ont disparu.
Lola est désespérée.

Soudain, elle les voit...

Elles marchent.

À d'autres pattes que les siennes !

« Super, les bottes ! » s'exclame Olga.
Lola sourit.

Lola est une oie.
Une petite oie jaune qui adore
porter ses bottes rouge vif.

Tous les jours.
Enfin, presque.